COLLECTION FOLIO

Michel Quint

Effroyables jardins

Gallimard

Michel Quint est né en 1949. Il a publié une vingtaine d'ouvrages (romans noirs et nouvelles). Il a reçu le Grand Prix de la littérature policière en 1989.

Effroyables jardins a été adapté au cinéma en 2003 par Jean Becker, avec Thierry Lhermitte, Jacques Villeret, André Dussolier et Benoît Magimel.

Aimer à peine, le deuxième volet d'*Effroyables jardins*, a paru en 2002 aux Éditions Joëlle Losfeld.

Et que la grenade est touchante
Dans nos effroyables jardins

GUILLAUME APOLLINAIRE
Calligrammes

À la mémoire de mon grand-père Leprêtre,
ancien combattant de Verdun,
mineur de fond,
et à celle de mon père,
ancien résistant, professeur,
qui m'ont ouvert en grand
la mémoire de l'horreur
et fait pourtant apprendre
la langue allemande,
parce qu'ils sentaient bien que
le manichéisme en histoire est une sottise.
Et à la mémoire de Bernhard Wicki.

Certains témoins mentionnent qu'aux derniers jours du procès de Maurice Papon, la police a empêché un clown, un auguste, au demeurant fort mal maquillé et au costume de scène bien dépenaillé, de s'introduire dans la salle d'audience du palais de justice de Bordeaux. Il semble que, ce même jour, il ait attendu la sortie de l'accusé et l'ait simplement considéré, à distance, sans chercher à lui adresser la parole. L'ancien secrétaire général de la préfecture de Gironde a peut-être remarqué ce clown mais rien n'est moins sûr. Plus tard, l'homme est revenu régulièrement, sans son déguisement, assister à la fin des audiences et aux plaidoiries. À chaque fois il posait sur ses genoux une mallette dont il caressait le cuir tout éraflé. Un huissier se souvient de l'avoir entendu dire, après que fut tombé le verdict :

— Sans vérité, comment peut-il y avoir de l'espoir… ?

Et sans mémoire ? Des lois de Vichy : 17 juillet 40, concernant l'accès aux emplois dans les administrations publiques, du 4 octobre 40 relative aux ressortissants étrangers de race juive, du 3, la veille, portant sur le statut des juifs, du 23 juillet 40, relative à la déchéance de la nationalité à l'égard des Français qui ont quitté la France, tous ces actes où Pétain commence par « Nous, Maréchal de France… », et cette autre loi qui me touche, du 6 juin 42, interdisant aux juifs d'exercer la profession de comédien…

Je ne suis pas juif. Ni comédien. Mais…

Aussi loin que je puisse retourner, aux époques où je passais encore debout sous les tables, avant même de savoir qu'ils étaient destinés à faire rire, les clowns m'ont déclenché le chagrin. Des désirs de larmes et de déchirants désespoirs, de cuisantes douleurs, et des hontes de paria.

Plus que tout, j'ai détesté les augustes. Plus que l'huile de foie de morue, les bises aux vieilles parentes moustachues et le calcul mental, plus que n'importe quelle torture d'enfance. À dire au plus près l'exact du sentiment, au temps de mon innocence, j'ai éprouvé devant ces hommes raccommodés à la ficelle, écarquillés de céruse, ces grotesques, le vertueux effroi des puceaux croisant une prostituée peinte, selon l'idée imagée et sommaire que je m'en fais, ou la soudaine suée des rosières découvrant au parterre fleuri un nain de jardin obscène, ithyphallique. Si on m'imposait le spectacle de la piste, je trouillais à cramoisir, à bégayer, à faire pipi-culotte. À devenir sourd. Fou. À mort.

Rien qu'à la pensée d'une bille de

clown, d'une perruque rouge, la perspective d'une matinée au cirque, mes copains de classe, ma sœur Françoise, tous les gosses de constitution normale sentaient monter la rigolade, s'étirer les coins de leurs lèvres. L'extase du rire, la jouissance de la gorge déployée leur venaient. Moi je me nouais bien profond, à ne plus pouvoir avaler ni une règle de grammaire ni le repas du soir.

Bien sûr, les manuels de psychanalyse vulgarisée ne sont pas faits pour les chiens et j'ai depuis longtemps identifié les causes d'une telle névrose.

C'est que mon père, instituteur de son état, traquait et prenait aux cheveux toutes les occasions de s'exhiber en auguste amateur. Larges tatanes, pif rouge, et tout un fourbi bricolé de ses vieux costumes, des ustensiles de cuisine mis au rancart. Faut-il le dire, quelques dentelles aussi, abandonnées par ma mère, lui donnaient une couleur trouble. Ainsi armé et affublé de la sorte, casqué d'une passoire à l'émail écaillé, cuirassé d'un corset rose à baleines, presse-purée nucléaire à la hanche, casse-noix supersonique au poing, c'était un guerrier hagard, un samouraï de fer-blanc qui sauvait l'humanité intergalactique et aussi la nôtre, toute bête, dans un numéro pathétique de niais solitaire contraint de s'infliger tout seul des baffes et des coups de pied au cul. Une espèce de Matamore d'arrière-cuisine, un Tintin des bas-fonds, dont personne ne suivait le galimatias à peine articulé mais qui avait le chic pour émouvoir l'assistance. Peut-être parce qu'il était maladroit, se prenait vraiment les doigts dans le tambour de la râpe à fromage qui lui servait de mitrailleuse, chantait horriblement faux et mourait immanquablement de faim, d'amour ou... D'amour. À bien y resonger, oui, copiant Charlot, il mourait surtout d'amour.

Et cela ajoutait à mon malaise. Celui de maman, elle avait beau le cacher, il m'était évident qu'elle aussi, à voir papa exécuter des culbutes et des sauts carpés d'agonie, une fleur de papier au poing, pour une donzelle choisie dans l'assistance, elle l'avait un peu mauvaise. Mais bon !

Il courait les fêtes de fin d'année, les goûters de Noël, les anniversaires et les raouts de comités d'entreprises. Les après-midi récréatives des œuvres laïques, de préférence et, bien entendu, jusqu'à plus soif. Dans tous les sens. Parce que ce genre de manifestation, on sait ce que c'est, l'amical est de règle, et ce brave clown il en avait sué sous les projecteurs, fallait veiller au remplissage régulier de sa chope. Mon père revenait de ses prestations bourré de reconnaissance liquide et satisfait d'être ivre par devoir. Et moi j'avais honte de lui, je le reniais, l'ignorais, je l'aurais donné au premier orphelin si j'avais pensé qu'un seul eût pu l'accepter. Je haïssais ma mère de le mettre au lit, de lui essuyer le front en lui murmurant des tendresses.

Jamais il n'a demandé un sou pour s'être produit, nous avoir bousillé un samedi en famille, un dimanche, nous avoir obligés à renoncer à un beau jeudi entre nous. On l'appelait directement à la maison, par téléphone. Il écoutait, demandait juste le lieu et l'heure. Après il informait maman de son engagement. Elle le regardait tirer sa valise d'un placard de la cave et vérifier ses accessoires. L'essence dans l'auto, le ticket de tram, les faux frais c'était pour sa pomme. Simplement, avant de partir, il nous interrogeait du regard et observait une tradition : hésiter, faire comme si cela lui pesait de nous laisser en plan, de nous sacrifier à son plaisir. Presque il renonçait, reposait déjà la valise, non, non, il n'irait pas, c'était trop cruel que de nous négliger. Tout ce tintouin pour qu'on fasse notre part de cette mascarade des tendres et impossibles arrachements, que maman condescende, ma sœur Françoise et moi étant inclus dans sa reddition, à l'accompagner avec fierté.

En fait maman ne condescendait pas, elle revendiquait son statut de femme de clown et donnait dans le genre patriote illuminée : nous n'allions pas au sacrifice mais au triomphe. Pour moi, oui, le sacrifice existait, la sortie obligatoire me pesait, il me faudrait encore ruser, me démarquer nettement des miens en ne leur adressant plus la parole tant que durerait le numéro, trahir. J'avais la queue basse et je me consolais à peine avec les douceurs, canapés rances et limonades fades qu'on nous servait parfois. Comme à des pauvres.

Ce que nous n'étions pas.

Mon père était instituteur, donc. Et populaire comme aucun de ses collègues, aimé des élèves de la communale, justement de cette navrante et inhabituelle vocation comique chez un honorable pédagogue.

imitation zèbre et au bruit de casserole. Une bagnole de clown. Mon père se félicitait de son choix. Il était bien le seul. Les autres papas roulaient en Citroën DS, Peugeot, Ford... Même Simca... ! Tiens, il aurait eu une Étoile Six bicolore, cette espèce de baleine rachitique à grands fanons, je lui aurais beaucoup pardonné. Mais là, une Panhard ! Souvent j'ai pensé qu'il nous emmenait, maman, Françoise et moi, parce que nous étions laids, qu'on allait bien avec l'auto, qu'avec nos cheveux jaune flamand, nos pifs en tromblon et nos lunettes rondes, on prolongeait la guimbarde. Je redoutais qu'il ne finît, un jour, par nous tirer en scène, enfin sur les estrades merdiques où il officiait les meilleurs soirs. Je craignais aussi qu'il ne nous offre, comme chez Pirandello, que je ne connaissais pas encore, le triste chef de cette famille de six personnages étale ses turpitudes domestiques à des acteurs, oui, je craignais qu'il ne nous abandonne à la malsaine curiosité d'une tablée de

Il reste que, sur le coup, l'affaire m'a paru un début d'apocalypse. Mais j'ai été le seul à en être sur le cul : c'était de notoriété chez les grands de la classe du certif, ceux qui étaient déjà passés dans les pattes de mon père, qu'il se permettait chaque année, pas loin après l'Épiphanie, vers carnaval donc, la même incartade. On lui passait volontiers cette incongruité sans en connaître la signification vraie.

Mon père était un joyeux drille, voilà tout. On disait : un sacré. André, c'est un sacré ! Combien de fois l'ai-je entendu, avant qu'on ne s'aperçoive de mes tourments et qu'on se taise devant le gamin du sacré… Un sacré quoi ? Ceux qui employaient l'expression ne savaient pas plus que moi, je pense, et nul ne supposait que le doigt de Dieu se fût un jour posé sur mon père pour le sanctifier, mais le qualificatif, généreusement octroyé, faisait de lui un être à part.

De fait, je le sais aujourd'hui, il méritait la distinction, la Légion d'honneur de la reconnaissance, et ceux qui croisaient au trottoir son regard doux auraient dû se découvrir. Parce que lui, il a passé sa vie à rendre hommage, à payer sa dette d'humanité, le plus dignement qu'il croyait. Trente ans durant il a eu le chapeau à la main, il a salué bas. Passé l'époque primaire, il me fut confusément sensible qu'il accomplissait ses tours de piste par devoir, rituel expiatoire, et aurait ri de l'ahuri qui lui aurait reconnu un talent d'auguste. Il se savait mauvais clown, n'éprouvait nulle honte à cet échec et prenait quand même plaisir à ses minableries. Mon père était un homme de douce obstination et d'intérieure nécessité.

Avec certitude, je ne l'ai su qu'après. Quand il a jugé qu'il était temps de m'affranchir.

C'est pas lui, mon père, qui m'a raconté le pourquoi, délivré de la malédiction de l'auguste. Son cousin Gaston s'est acquitté de la mission. Ou de la corvée.

Gaston. Un bon à rien dont ma mère plaignait le sort. Un James Cagney efflanqué, blond cranté, marié à une Nicole potelée qui s'esclaffait sans cesse. Ils tiraient le diable par la queue et n'en faisaient pas une histoire. Simplement, les dimanches quasi hebdomadaires où nous les avions à manger, vers le dessert, passé le bordeaux tu-m'en-diras-des-nouvelles, ils finissaient par se taire, leurs mains se nouaient sur la nappe damassée, Nicole soupirait un grand coup qui tournait au fou rire mouillé et Gaston essuyait ses lunettes. Et puis ils se laissaient aller, s'étreignaient, se vérifiaient la tendresse, et puis la vie, à bons gros bécots dans le cou. Sans pudeur ni honte, ni perversité. En bons sauvages.

Ils n'avaient pas d'enfants, n'en auraient jamais. On les enviait de cette possibilité d'éternelle lune de miel. Ils en crevaient.

Ces fois où on leur sentait partir le

cœur, ma mère hochait la tête et mon père regardait ailleurs. Quant à ma conne de sœur, Françoise, elle faisait l'initiée, se composait des mines d'affligée inconsolable, des gueules de mètre étalon de l'universelle souffrance. Trop vieille pour son âge. Si elle avait pu, elle aurait versé dans les neuvaines pénitentes. Déjà elle pleurait avec beaucoup d'élégance, sans dégâts aux paupières, et à volonté.

Moi, leurs manières à tous m'emmerdaient. J'étais bon élève, promis à des avenirs, et tremper dans leurs émois de fin de banquet, c'était trop. Toutes ces simagrées étaient devenues, à mesure que je m'éveillais adolescent, à mes yeux de merdeux, des consolations de petits, le plaisir morbide d'un chagrin secret et moche, peut-être surestimé, bidon même, ravivé pour quelques intimes. Pitoyable.

Même les avancées de Gaston, les dimanches où il me proposait un baby-foot, ses tentatives pour s'offrir le côtoiement d'un gamin comme il en aurait mourait beaucoup quand il était clown. Quand bien même, il y avait prescription. Et maintenant... C'est oublié.

Bien évidemment, Gaston, Nicole ne sont plus. Ces pauvres vies ont cessé un matin ou une nuit, et aucune larme ne fut gâchée à les pleurer, pas une phrase à les regretter. En l'absence de mes parents déjà disparus, ils ont glissé au paradis des photos de famille, rares et infidèles, qu'on jettera quand on ne pourra plus identifier ce grand con à lunettes, coiffé à l'embusquée, et cette tendre bécasse dodue qui l'enlace, toute chose devant un parterre de roses. J'ai ces clichés en mémoire mais je ne les ai pas retrouvés dans mes tiroirs. Il aurait fallu que je demande à Françoise qui enseigne maintenant en Normandie. Elle y a transporté et conservé les pénates de nos parents en allés tout pareil que Gaston et Nicole. Et plus tôt encore. La pieuse Françoise, la gardienne des bouts de ficelle et des fleurs fanées, l'éternelle émue de ce qu'elle n'a pas vécu, l'Emma

Bovary des agrégées d'allemand, il m'aurait fallu l'aller visiter. Non merci. C'eût été l'apocalypse, les pourquoi et les à quoi bon.

Et puis je ne sais pas pleurer avec l'art consommé qu'elle déploie à laisser couler de nobles larmes. Je brais à gros bouillons, morveux et l'œil gonflé. Sans cette dignité du chagrin qui justifie sa cause par la beauté des effusions. Alors non merci. Gaston et Nicole je les garde tels que, lointains mais de plus en plus surprenants dans ma mémoire. Vivants.

Parce que… Oui, je disais que Gaston m'avait délivré de la malédiction de l'auguste… Mon entrée dans les secrets des grands s'est donc faite au bar du cinéma où on projetait *Le Pont*. Il me semble que c'était au « Tramway », ou au « Métro »… Une salle avec un nom de moyen de transport, ça j'en suis sûr, quelque part dans un quartier ouvrier, au revers de Roubaix ou de Tourcoing, à une époque où la ritournelle de la Fox et un esquimau chocolat vanille guérissaient encore les gosses du mal de dents. Un dimanche après-midi.

On s'était tassés dans la Dyna, trois sur la banquette avant, avec Nicole entre mon père et maman, et Gaston derrière, le cul à l'aise entre Françoise et moi. Tout le monde sur son trente et un, sent-bon et brillantine. Il y avait du solennel sur les figures, même celle de Gaston. Je subodorais l'événement exceptionnel sans pouvoir deviner, et il était clair que ma sœur non plus.

J'espérais que le film me donnerait la solution et j'en ai été pour mes frais. Pendant le générique de début, Cordula Trantow, la seule femme, et les autres, tous des noms allemands, il y a bien eu un petit émoi, côté Gaston-Nicole-papa on s'est poussés du coude, les fesses ont remué. Et puis plus rien.

Jusqu'à « Fin » et la lumière qui se rallume. On cligne des yeux, on est encore dans l'image, engourdi, et on piétine dans l'allée en pente, un peu ivre, en suivant les gens qui sortent, disent à mi-voix, en se déguisant l'émotion, que c'était pas mal, ils ont bien aimé, eux, cette histoire de gamins débarqués dans une armée en déroute. Un gradé humain affecte ces gosses à la garde d'un pont sans importance stratégique et ils vont être assez cons, assez idéalistes pour crever à faire les grands. Insupportable mais sans rapport apparent avec nous, famille et associés, qui étions du côté des vainqueurs et dans le lot des survivants de la Seconde Guerre. N'empêche que j'étais tout noué de la glotte et Françoise avait des yeux de condoléances.

Au bout de cette descente de calvaire, sitôt dehors, dans le petit hall, nos dames ont voulu traverser s'acheter un cornet à la baraque à frites du trottoir d'en face. Pendant qu'elles sortaient, au passage obligé par le bar, Gaston et mon père ont échangé un regard et Gaston m'a arrêté, un peu plus loin que les pompes à bière. Deux tabourets ronds, une limonade, une pression. Gaston a soupiré fort. Un tel cérémonial, j'ai compris qu'il en avait gros à me dire et que c'était préparé, ordonné. Le Gaston était en service commandé. Mon père s'était affalé avec un demi au bas-bout du comptoir, où la fille qui déchire les tickets s'installe pour fumer sitôt la séance commencée. De tout le temps que Gaston a parlé, mon père n'a pas touché à son demi ni tourné l'œil vers la fille des tickets. Il se regardait en dedans, et c'était tout velours. Gaston, lui, la parole lui coulait, sans rancune ni haine, ni se pousser du col, simple et nu, à en baisser la paupière.

Le cousin Gaston parlait patois. Un patois que je comprenais parfaitement mais quand il m'a raconté, là, sur ce formica tout fendillé, le pourquoi des fêlures de mon père, il s'est appliqué. L'exact de ses mots, ses barbarismes, j'ai presque oublié. J'ai réécrit. Et, sauf des expressions, des passages que j'ai encore dans l'oreille, j'ai fini par oublier la chair de cette langue, que Gaston faisait pas semblant, que ses mots étaient pas l'ombre des choses et des moments inhumains, mais qu'il m'ouvrait sa vie et m'offrait humblement tout ce qu'il avait, d'effroyables jardins, dévastés, sanglants, cruels.

… Fin 42, début 43, que c'était. Moi et puis ton père, par notre petit groupe de résistants, on avait reçu l'ordre de faire sauter tous les transfos de l'arrondissement. Et d'abord celui de la gare de Douai. J'ai même jamais su pourquoi…

Il a commencé son petit conte tout benoît, mon Gaston. De temps en temps, avant de revenir à moi, comme par une nostalgie de plouc, ses yeux glissaient aux vieilles affiches derrière le comptoir, sur la belle violence des cow-boys et les décolletés pervers des dames. Burt Lancaster, Virginia Mayo, Elizabeth Taylor,

Monty Clift, et tous leurs copains, rien que des héros, des étoiles à baver devant. Ce que je faisais, comme mes copains les plus dessalés. Mais ce jour-là, en regard de Gaston, de mon père, de Nicole aussi, ils ne m'ont plus rien été. Sinon de pâles mirages.

Dehors c'était soleil. Gaston parlait d'une époque où la nuit était la plus forte. Gaston en venait au fait :

… Les arrière-goûts d'hiver. Tels que par ici. Surtout du froid humide, de la pluie et pas lourd de lumière. La guerre par-dessus, les deuils, les restrictions et le sentiment que l'humiliation cesserait pas demain… Mais attention : les gens avaient beau avoir du gris à l'âme, ils tâchaient quand même de pas trop courber l'échine. Nous pareil. Que je te dise : la Résistance, on s'y est mis, les autres je sais pas, en tout cas ton père et moi, pour rigoler, pas s'emmerder, en tout cas au début… Comme si on serait allés au bal… La fine ambiance *Horst Wessel Lied*, fanfare militaire, ça nous donnait pas l'envie de danser. Alors, histoire de jouer notre propre musique, le sabotage du transfo de la gare de Douai, ton père et moi, on l'a fait aérien, façon musette, doigts de fée sur le piano à bretelles et allegretto. Un soir, à la nuit juste tombée. Comme des inconscients, sans précautions… Avec juste des cuirs d'électriciens et des sacoches d'explosifs. Parce que ça nous semblait la meilleure couverture… Parce qu'on pensait pas plus loin…

Boum ! On était en train de remonter sur la campagne par des voyettes et on a entendu le boum derrière nous, et puis ce qu'on dit d'habitude, feu d'artifice et tout le tremblement… Bon, on s'est dit, c'est fait ! Et on est rentrés dormir tranquille. On s'est même pas enrhumés en route !

Une petite douzaine d'heures on a cru qu'on s'en sortait comme une fleur. Comme chaque fois, juste en évitant poil. Le temps qu'on se retourne, ils nous poussaient au mur, les culasses des fusils claquaient et on s'est dit au revoir, André et moi. Vite fait, pas vaillants du jarret. L'héroïsme, le cœur à l'échancrure de la chemise, *La Marseillaise* que tu leur chantes à la gueule jusqu'au souffle dernier, tu peux toujours rêver mon garçon, c'est du roman. Dans la réalité, tu sais plus où regarder, quoi attraper que tu peux emporter pour toujours, quelque chose qui t'occupe les mains, les yeux, les lèvres. Le mieux c'est encore un visage de femme. On n'avait pas ça, nous. On n'avait que les cornichons. Alors pendant qu'ils nous mettaient en joue, qu'on entendait ta mère et la mère de ta mère hurler là-haut, et nos cœurs cogner, on s'est juste pris la main, André et moi, comme deux gamins à la sortie de l'école, pour pas partir tout seuls, le regard bien sur les bocaux avec les cornichons géants, pas ceux au vinaigre, ceux en saumure douce, à la polonaise. Tu vois le tableau ?

On attendait les détonations et la mort noire… Et tout s'est arrêté.

Un bruit de bottes dans l'escalier, un gradé essoufflé qui déboule gueuler *artoung* et *los* et *wek*, et miracle, on nous fusille pas ! Rien que des agaceries de crosse, et de la savate plein les guibolles pour nous aider à remonter plus volontiers. Et la peur elle est seulement venue là, de sentir qu'on aurait aussi bien pu ne plus rien sentir, elle est venue du coup qu'on se sentait survivre !

Plus tard, après de la marche à pied à travers tout le village, juste question de nous faire montrer aux gens derrière leurs volets, avec les lèvres pétées et le sourire bien écorché, après une promenade dans un camion, à plat ventre, ces messieurs ayant essuyé leurs bottes à nos côtes, plus tard, entrevue avec l'obermachin à l'Ortskommandantur… Tu vois où c'est ? Ben, dans la même rue que t'es né, rue Jean-Jaurès, le long mur du parc de la grande maison, en te mettant pas trop loin pas trop près, c'est encore nettement lisible « Ortskommandantur », en lettres blanches... La brique a bu la peinture, alors forcément, c'est resté... Et c'est pas plus mal : ça nous y fait repenser... ! Oui... on nous a emmenés là. Deux-trois palabres, une baffe ou deux, du mépris pleine lippe, et enfin on nous dit quoi, comment on appelle ça : le chef d'accusation ! Voilà : le chef d'accusation ! Loi du 14 août 41 ! Celle que Pétain il a fait passer le 22, après l'attentat de Fabien au métro Barbès, et qu'il a antidatée pour pouvoir exécuter légalement des otages et calmer ces Messieurs vert-de-gris !

Et tu devineras pas : loi du 14 août donc et, comme les copains de Paris à cause de Fabien, nous v'là otages à cause du transfo explosé ! Si fait ! Si dans trois jours les auteurs de l'attentat s'étaient pas livrés, on y passait. Pour de bon cette fois !

Tu vois l'ironie et l'impasse ? On pouvait pas espérer que quelqu'un se dénonce vu que les coupables c'étaient nous deux ton père et que ces cocus de frisés étaient tombés pile sur nous par hasard. De toutes les façons on était bons, on se faisait trouer comme otages ou comme terroristes, anarchistes ou communistes ! Loi du 14 août !

Ou peut-être ils nous avaient choisis à cause qu'on avait été assez niquedouilles pour se vanter d'être résistants, même rien qu'en douce, à éblouir quelques zézettes… Ils voulaient nous éliminer mais qu'avant on avoue autre chose en plus, qu'on donne des copains, ou je sais pas… Ou bien c'était une façon pas salissante de nous torturer, de montrer leur pouvoir à la population ? Non, même pas, rien de tout ça… On avait beau retourner tout dans nos caboches, se regarder, on comprenait pas qu'ils soient si finauds. Ce qu'on avait peur c'était la torture, la baignoire, la schlague… On n'était pas trop sûrs de tenir bon. Sûrement qu'ils voulaient pas gâcher de l'eau ou qu'ils mettre des types au fond d'un ravin déjà ça se faisait.

La plus simple et la plus efficace des prisons. Même pas besoin de nous garder. Bien cruelle aussi la prison : un bout de temps qu'il crachinait, par petites bouffées, croisées avec des averses de pluie dure, et on pataugeait dans cinq-six centimètres de flotte, au fond. Pas moyen d'y échapper.

Je voyais bien que la peau allait nous peler d'humidité dans les godasses, qu'on allait se fleurir d'ampoules et d'engelures. En essayant de te mettre au sec sur le bas du contrefort, de grimper au mur, tu dérapais et tu te retrouvais le cul au frais, bien emplâtré. En réalité ça n'avait pas d'importance : pour arriver là, le camion bâché avait reculé à presque verser dans le trou, on nous avait poussés avec le canon d'un fusil dans les fesses et on avait roulé jusqu'au fond dans la bouillasse. Tout raides de crotte pareil. Alors les élégances !

Ton père, je me souviens, c'est là, il a parlé de grenades et d'effroyables jardins. J'ai pas compris, il a pas expliqué.

Plus tard, une fois tout seuls et les godasses déjà à tordre, on a levé et tassé, en raclant, en battant de la semelle, une petite digue plate où on avait le pied au sec. Oser plus, tenter la cavale, creuser un escalier à flanc de falaise et foutre notre camp, impossible : ça s'éboulait, ça t'échappait, ça te suçait le soulier, ou bien ça se modelait lisse à la main, aucune prise, du terrain traître. Admettons même qu'à force on soit arrivés en haut du trou, on pensait pas qu'ils nous auraient laissés aller aux fraises, les frisés ! On supposait qu'il y avait de la mitraille à l'affût quelque part et que ç'aurait été tout miel de nous canarder en train de fuir.

Alors on s'est contentés d'attendre, en veston, sous le crachin. Sans parler, le dos rond. Juste, la pluie nous a fait la toilette. Le sang une fois bien lavé, restaient que les bleus des gnons.

otages coupables. Raclés, Henri et Émile, sur le carreau de la fosse 2 à la sortie du poste du matin. Mais pas par hasard. C'est là, à parler dans notre trou, qu'on a commencé à comprendre comment les boches avaient choisi et qu'Émile et Henri se retrouvaient à faire troisième et quatrième. Les schleus avaient raflé dans un groupe constitué : les otages c'était une partie de l'équipe de foot de chez nous ! On y jouait tous les quatre et on se connaissait forcément. Ton père faisait goal, moi ailier gauche, les autres peut-être arrière et demi droit, je sais plus. Mais que ton père et moi on mettait nos sabotages au point sous la douche d'après-match, et qu'Henri et Émile étaient pas de nos belles folies, ça je m'en souviens bien… Sauf que, quelqu'un de l'équipe qui nous aurait dénoncés, on voyait personne d'assez moche… C'est seulement après guerre qu'on a su le fin mot : les gendarmes ils étaient pour l'équipe de foot d'Hénin-Liétard, et nous, les footeux d'Hénin, on les avait battus trois-zéro au premier tour de Coupe de France en 39 ! Alors, ils ont vengé leur honneur comme ils ont pu... En nous désignant comme otages... Quatre sportifs du dimanche, choisis par leur propre maréchaussée, présumés innocents et fusillés à cause de la lâcheté de saboteurs terroristes, nos cousins fritz voyaient ça bien cruel, donc bien réjouissant. Forcément, présentée ainsi, notre mort gratuite, elle allait frapper les imaginations et faire serrer les fesses à tous !

Henri et Émile, ils comprenaient pas c't'encrinquage de terreur. Ils nous saoulaient de pourquoi et de ah mais... Si le transfo c'est vous, dites-le, puisque de toute façon vous allez crever, alors autant que votre mort serve à nous sauver... Et puis même si c'est pas vous, si vous vous sacrifiez, vous sauvez vos copains de la Résistance... Ça n'en finissait pas de blabla, de raisonnements qui se mordaient la queue. Nous deux ton père on leur a dit qu'ils n'avaient qu'à nous dénoncer, quand les schleus reviendraient, qu'ils osent ça… Nous, on les regarderait si rancuneux qu'on les croirait, Henri et Émile, et qu'ils seraient épargnés. Qu'ils fassent ça s'ils pensaient s'en tirer à ce prix. Ton père disait que ça ne lui coûtait rien : il était sûr qu'on y passerait tous, quoi qu'il arrive et qu'il fallait admettre cette mort bientôt.

Ça leur a fait honte, à Henri et Émile, ils ont dit que c'était histoire de parler tout ça, qu'ils pensaient à leurs femmes… Et ils enchaînaient… C'est vrai qu'ils étaient mariés, pas nous, mais qu'ils étaient avec nous, même si on était coupables… Et on remettait trois thunes dans le manicrac ! Des rebusilleries, des repensées, à tourner fou… Parce que si c'est vous autres… Nous deux ton père, on aurait bouffé nos licences de foot. Il aurait fallu le faire dès la déclaration de guerre, pas jouer à la balle avec des honnêtes gens comme Henri et Émile. En des temps pareils, le sport c'est trop dangereux. À preuve… Ah ! ah ! ah !

Qu'est-ce que je disais ? Oui…

Donc on s'est retrouvés à quatre. Sur les trois heures d'après-manger, avec justement rien à manger, la tremblote de froid et d'humidité. Et soixante-douze heures à vivre. Et pas grand-chose à se dire parce que, forcément, si on avait avoué le transfo, ton père et moi, les deux autres l'auraient eu mauvaise de nous devoir l'enfer et sûrement ils auraient quand même tenté le coup de nous dénoncer. À qui, tu vas dire. Vu qu'à écouter le silence autour, les oiseaux et ce qui courait de bestioles peureuses alentour de notre trou, on était seuls en rase campagne. Peut-être même qu'on nous oublierait ? Qu'on pourrait s'affairer tranquilles à s'évader… Ça nous a traversés, l'idée qu'on pouvait y croire.

On ne l'a pas cru longtemps.

Parce qu'il faisait encore jour quand de la terre a boulé le long de la paroi, à l'ouest. On a levé le nez et il était là. Dos au crachin, jambes pendantes dans ses bonnes bottes, fusil en bandoulière, la capote bien boutonnée, assis sur des sacs, au bord de notre trou. Casque à ras le sourcil et un sourire large et benêt tu peux pas savoir comment. Notre gardien. Finalement, ils nous en avaient envoyé un. Un demeuré des tourbières, un simplet ! Sûrement parce qu'il était infoutu de faire autre chose ! En tout cas, même gardés par un niais, pour l'évasion on était refaits !

Il nous regardait croupir, comme ça, d'en haut, les mains aux genoux. Et tout d'un coup, tu sais pas, il nous a fait une grimace ! Une grosse, une de gosse, les yeux tout riboulés, et la bouche bouffée en cul de dindon ! On en est restés comme deux ronds ! Il nous aurait insultés, bombardés de cailloux, pissé dessus, c'était dans l'ordre, rien à redire. Mais là, se payer la figure d'otages, faire le môme pour des hommes qui vont mourir, c'était indigne, insupportable ! On a commencé à essayer de lui jeter des mottes de glaise mais ça ne servait à rien : elles nous retombaient en pleine poire ! Et, par-dessus le marché, l'ostrogoth sort son briquet, son casse-croûte ! Juste un quignon… Mais tu parles qu'on salivait devant ! Et toujours d'une façon à pas croire, avec des efforts énormes, comme si sa poche elle avait trois kilomètres de profond, qu'il y avait des bêtes dedans qui lui mordaient les doigts ! Il poussait des kaïk kaïk, des petits cris de frayeur ! Alors là c'était vraiment trop ! Jouer comme ça avec la nourriture devant des affamés, nous narguer : on l'aurait tué ! On pouvait pas s'empêcher, on était là, à baver devant le manger, à se dire que ce salaud se payait notre fiole et qu'on allait y passer… Mais en même temps, tu penses ce que tu veux, qu'on était des inconscients, des moins que rien ou quoi, mais en même temps on n'a pas pu tenir, ni les autres, ni moi. Je crois que ton père et en sortir des tartines roulées dans des feuilles de journal ! Six qu'il allait s'en goinfrer l'animal ! Et puis les tartines, il se met à jongler avec ! Et rudement bien : elles ne glissaient même pas de l'emballage journal ! On en avait la gueule ouverte, nous en bas, et la bave aux babines ! Et puis il en loupe une, de tartine, la rattrape de justesse, nous, tu penses bien, déjà on avait tendu les bras, sûrs qu'elle était pour nous, la tartine, mais non, le salaud il l'a rattrapée quand on aurait dit que c'était plus possible ! On en a gueulé à avoir honte, d'instinct, comme des chiens que tu fais languir avant de leur jeter le nonos, et lui du coup, le vert-de-gris, ça le trouble, tout son jonglage se met à merder ! Il s'est cru trop fort à nous faire la nique, et toutes les tartines tombent dans le trou, de Dieu la pluie de tartines nous tombe dessus ! Tu penses que nous, on n'en a pas loupé une ! Des tartines comme la main, et du pâté et des cornichons

Lui il s'était rassis et avec l'ombre, la nuit venue d'un seul coup pendant qu'on dévorait, on ne voyait plus que sa silhouette, plus sombre que le ciel, même pas son regard sous la visière du casque. Et on riait moins : bien sûr qu'il avait fait exprès, son numéro, encore pour nous torturer à petit feu. Ces tartines elles étaient pour nous, c'était notre dû, peut-être notre dernier repas. Jongler avec, risquer qu'elles tombent dans la boue, s'en foutre de nous, c'était vraiment de l'offense ! Mais bon, on n'allait pas grognouter dans le noir ni se gâter la digestion à bertonner là-dessus.

Au matin, on a vu ses yeux. Le soleil s'est levé en plein dedans. Il n'avait pas bougé de la nuit. Et c'était pas le regard d'un idiot ni celui d'un bourreau. Nous on claquait des dents, d'avoir dormi tout recroqués l'un sur l'autre, d'un seul œil, moitié debout moitié accroupis contre les parois du trou. On en avait des cataplasmes bouseux plein le paletot et le froc. Émile pleurait tout bas et Henri, le regard perdu, se parlait en polonais. Ton père était gaillard pourtant. Il a levé la tête, et je me souviendrai toujours de sa voix, comme à un premier matin de vacances à la mer :

— Serait-il possible qu'on nous serve le petit déjeuner ? qu'il a dit au feldgardien.

Et l'autre, aussi sec, qui répond :

— Tu sais, vieux, à l'hôtel des courants d'air, le déjeuner c'est du vent !

Aucun accent. Rien. T'aurais juré un Français. Et appeler ton père « vieux », comme un copain de toujours... On n'a pas trouvé catholique ! Au point qu'on a cligné des yeux : des fois que les frisés nous auraient fait surveiller par un milicien... mais non, l'uniforme était vert-de-gris, Wehrmacht.

— Je m'appelle Bernhard. On dit Bernd. Sans rigoler, je vais essayer de vous trouver... comment vous dites ?

« Dégotter » quelque chose à bouffer... Le pain d'hier soir c'était mes rations de l'intendance... Mais je peux pas piquer de la graille tout le temps au même endroit... C'est moi qu'on mettrait dans le trou, à la fin !

Dit avec sa foutue grimace zyeux de traviole et bouche en croupion, et une voix de gamin trouillard ! Irrésistible !

Plus tard, ton père et moi on s'est vraiment méfiés. Sur les débuts de l'après-midi. L'idée nous est enfin venue que ce type, Bernd, parlant français, gentil, apitoyé, fin chien et tout, il essayait qu'on soit suffisamment cons pour se confier, et donner le réseau, et les planques d'armes, et les prochains sabotages... Et puis quoi encore ? C'était un peu tard d'y penser et de se rendre compte mais, heureusement, le mal n'était pas fait, on n'avait rien laissé filtrer.

On n'a même pas rien dit pour remercier quand il est parti une petite bouffée, et puis qu'il est revenu nous faire descendre des patates cuites à la cendre ! Cadeau béni ! Évidemment, avant la distribution de patates, il a pas pu s'empêcher de jongler avec. Incorrigible. Ce Bernd, il passait son temps à faire l'âne ! On a ri mais on n'a rien dit.

Pendant qu'on se dévorait les patates, il tenait son fusil comme une trompette. Un saxo plutôt. Il soufflait dans le canon en imitant un petit air. T'aurais dit sans y penser, comme si tous les jours il s'était servi de son fusil pour faire de la musique ! À peine quelques secondes... je ne sais même pas si les autres ont eu le temps de voir... moi je l'ai vu : son pouce sur la détente, pas loin de se foutre une balle ! Et puis il m'a vu le voir, il m'a fait sa grimace de bruant, et voilà tout... Restait rien qu'une zique de brume dans le fond de ses yeux...

On a dévoré nos patates.

Là-dessus, juste qu'on se léchait les doigts, une petite patrouille est arrivée. S'est mise en position au bord du trou, fusils braqués. Avec un Feldwebel, un truc ainsi, peut-être bien plutôt un colonel, en culottes de cheval, les poings aux hanches et vraiment l'air pas content de perdre son temps. On s'est dit que ça y était cette fois, l'exécution était avancée, adieu le jour, adieu mes vieux, j'aurai pas servi à lourd, même pas eu d'amour, est-ce que je vais avoir mal, est-ce que je vais pisser dans mon froc, où vont-ils nous enterrer, que vont dire mes parents, et la femme qui m'aurait aimé comment elle aurait été, son prénom ç'aurait été quoi ? T'as tout ça qui te passe derrière les yeux, vite, et puis tu trembles et t'es pas faraud je t'assure… Tu penses que tu vas crever à vingt ans et que c'est pas la mode…

Émile était tombé à genoux, il pleurait tout ce qu'il pouvait en poussant des petits couinements qui lui secouaient les épaules. Il avait une tête de danseur de tango, je me souviens, ou de danseuse, avec les accroche-cœur au front. Ou bien c'était la pluie qui lui faisait rebiquer le cheveu. Mais je me souviens bien de ça... Et qu'Henri disait ses prières en polonais, tout droit, paupières baissées, mains jointes, doigts croisés, avec son veston et son pantalon de bleu qui lui pendaient dessus, tout mouillés... Et que je te récite le blabla en polak... On n'entendait pas bien parce que l'autre là-haut s'était mis à gueuler en allemand. On savait même pas après qui il aboyait ainsi. J'ai posé ma main sur l'épaule de ton père, ou bien c'est lui, enfin, je dirais qu'on s'est tenu les bras et on s'est embrassés, salut André, au revoir Gaston, et puis rien, vu que je croyais pas en Dieu, ni lui non plus. Et puis on est allés essayer de relever Émile, de le tenir debout entre nous, à côté d'Henri, pas partir comme des péteux, mais bien en rang, comme à la fin des matches tu vois, quand on saluait le public...

Bernd il était deux pas à l'écart. La bretelle du fusil coulait doucement de son épaule, et, tête baissée vers nous, il nous regardait droit, écarquillé, comme un qui veut se souvenir de tout, garder la scène imprimée profond dans les yeux.

On a eu l'impression que le silence se comprimait, qu'il devenait plus serré, plus d'oiseaux, plus de vent, plus le gémissement sombre de la terre, l'impression que le temps coinçait et laissait la place à la fusillade. Et puis non. Tout ça, la vie, c'est revenu. Un geste du gradé et les types du peloton se sont ébroués dans leur capote. Encore une fausse alerte ! Le gommeux à casquette et culottes bouffantes a gueulé des trucs et fait signe à Bernd de traduire. Au soir, un de nous serait exécuté si un coupable ne s'était pas dénoncé à la Kommandantur. À nous de choisir lequel.

Aussi sec demi-tour droite et ils sont partis. On les a entendus encore une petite minute parler et rigoler et siffloter en s'éloignant dans la campagne mouillée. Jusqu'au camion. Garé si loin qu'il a fallu presque deviner le bruit de son moteur. Seulement à ce moment-là, Bernd a manœuvré la culasse de son fusil. Je ne sais pas bien s'il faisait monter une balle ou s'il désarmait. J'y connais rien. Mais il était tout pâle.

Fin d'après-midi.

Tu parles d'un répit ! C'était rien qu'une paire d'heures de plus à se manger le sang ! Et à se bouffer entre nous pour dire qui y passerait en premier.

On a décidé de tirer à la courte paille. Émile et Henri hors du coup, ça va sans dire. Ton père a serré deux bouts de racines blanchâtres dans sa main et me les a tendus. Eh ben, c'est drôle mais Émile a pas accepté. L'instant d'avant il était prêt à faire Berlin à genoux pour avoir la vie sauve et là il le prenait mal, comme une insulte, qu'on lui refuse une place dans ce choix de merde. C'était un impulsif, Émile, un sensible. Tant qu'il était pas au pied du mur en vrai, que c'était seulement des busilleries sur le danger, il était courageux comme personne. Mais c'était le genre à tomber pâle devant un fauteuil de dentiste ! Alors tu penses, un fusil braqué ! Henri lui, pendant la chamaillerie, il regardait et il a fini par dire :

— Laisse tomber, Émile, tu vois bien que c'est eux…

— Eux quoi ?

Il ne comprenait pas, Émile. Henri lui a mis les points sur les i.

— Les gars du transfo. Les coupables. Sinon, pourquoi ils nous feraient une fleur ?

— Je vous l'ai dit : parce que vous êtes mariés, a répondu ton père.

— À mon avis, quelles que soient vos responsabilités dans le sabotage, vous avez tort de marcher dans la combine de Herr Oberst… L'idéal est de l'obliger à vous fusiller tous ou aucun… Si vous lui offrez une victime expiatoire, vous collaborez, vous le justifiez, sa proposition de choix inhumain devient raisonnable, presque charitable…

Tous ces mots, tellement beaux, recherchés, que je m'en souviens comme des étoiles, c'était Bernd, assis à nouveau au bord du trou. « Victime expiatoire, choix inhumain… »

— T'en parles à ton aise, a dit Henri. Vaut mieux en sacrifier un pour en sauver trois que faire les fiers et y passer tous les quatre !

— Consentir à autrui le pouvoir de vie et de mort sur soi, ou se croire si au-dessus de tout qu'on puisse décider du prix de telle ou telle vie, c'est quitter toute dignité et laisser le mal devenir une valeur. Pardon d'être, avec cet uniforme, du côté du mal !

Et il s'est écarté, un peu plus loin, qu'on ne le voie plus de notre cul-de-basse-fosse. Ton père a jeté ses bouts de racine et on a attendu en silence. Jusqu'à ce qu'une bouteille dévale le long d'une paroi et vienne s'échouer en pleine boue. Du genièvre, du schnaps, un alcool blanc, la bouteille presque à moitié. Le temps de lever les yeux, Bernd avait déjà redisparu. Ton père a crié « Merci ! » et je crois qu'Henri a été le premier à boire.

À l'après-midi déclinant, ils sont revenus. C'est comme ça qu'on a su l'heure approximative. On allait mourir avec le jour. La bouteille était finie depuis longtemps.

Culottes de cheval en premier. Il s'est installé au bord du trou, jambes écartées, mains croisées sur les reins, tout morgueux. Et sa petite troupe est arrivée derrière. Quatre avec une pelle de sapeur en main. Ils ont regardé le gradé, un signe, et ils se sont mis à pelleter, à ébouler. La gadoue, les plâtrées d'argile nous tombaient dessus. Ces animals-là, ils nous enterraient vivants ! Je crois bien que Bernd a essayé de leur demander quoi, peut-être de les empêcher, mais il n'a pas eu le temps de traduire, Émile, la trouille verte ça l'a repris, il a failli tourner fou, il a commencé de hurler, la gueule ouverte, en s'esquintant à chercher à remonter les parois et on a cru que jamais il s'arrêterait ! Il a fallu un coup de revolver pour le faire taire ! Net ! Une seconde, on s'est crus morts ! Et non ! Le gradé avait tiré en l'air, l'écho courait encore, et on a entendu Bernd répéter :

— Vous êtes sauvés les gars, vous êtes sauvés ! Ayez pas peur ! Ils font seulement tomber un peu de terre parce qu'on n'a pas de cordes sous la main et l'échelle du camion est trop petite... !

Et les autres rigolaient plus ou moins en secouant la tête. Comme si quand on est condamné à mort, et déjà les deux pieds dans sa tombe, on peut comprendre qu'on nous balance de la terre dessus pour nous sortir de là ! À notre place ils auraient trouillé pareil, les frisés !

Donc on a reculé, le temps de les laisser ébouler assez de bédoule pour une levée, et puis on nous passe l'échelle, et puis on remonte, barreau par barreau, l'engin branlant avec ses pieds qui s'enfoncent, toujours à deux doigts de retomber au fond. Tellement que Bernd qui essaie d'attraper la main d'Émile, passé en premier, bascule, que tout le bazar, l'échelle, Bernd et Émile valdinguent au fond ! Alors là moment d'émotion là-haut, armes en batterie et tout, mais nous on se contente de relever Bernd tout plein de brin, de lui rendre son fusil... Et puis de se voir lui et nous, comme ça, au fond, prisonniers pareil et pareil merdeux, on réclate de rire... Évidemment les autres, là-haut, ne comprennent pas, Culottes de cheval hurle des trucs et faut bien se calmer, arrêter de se taper les cuisses, et redresser l'échelle et allons-y, on tient l'échelle le temps que Bernd remonte, et c'est à notre tour... Plus ça va, plus l'engin berloque, mais on y arrive, même s'il fallait se tenir avec les dents on y arriverait, et Bernd nous tend la main pour nous tirer parce que c't'échelle est pas encore assez

— Moi je suis bien instituteur, a dit ton père. Comme ça, tous les deux, on fait rire les enfants... Et pourquoi on nous gracie ?

— Un homme s'est dénoncé pour le sabotage du transformateur. Il a déjà été fusillé...

On n'a pas pu continuer : Culottes de cheval a crié par la lunette de la cabine et Bernd a traduit, en gueulant aussi pour faire bonne impression, de la fermer, sinon ! Et on a resté ainsi jusqu'à une petite gare avec des wagons à bestiaux qui attendaient.

Ce coup-là on n'est pas morts mais on a quand même été déportés. Jusque dans un camp de triage du côté de Cologne. D'où on s'est évadés, nous quatre et une dizaine d'autres types, en passant bien en rangs, à pied, au pas, devant les sentinelles. Ces idiots, ils ont cru qu'on allait en corvée officielle quelque part ! Et à nous la liberté ! Le plus drôle, tu sais pas... Si, bien sûr que tu sais. Cette histoire-là, ton père te l'a déjà racontée, qu'on est rentrés par la Belgique, qu'on est restés deux nuits dans un couvent, avec des bonnes sœurs qui n'avaient même pas peur qu'on les viole ! Et puis, et puis... Qu'on se met à la Résistance à plein temps, à plus savoir le jour qu'on est, ni qui on est, juste qu'on veut continuer à être des hommes...

Émile est mort en 49, bêtement : il s'est jeté sous un train des houillères parce que sa femme voulait plus de lui. Qu'on a dit... Henri ça faisait déjà longtemps qu'il était reparti en Pologne. Si ça se trouve, il vit encore et il raconte la même histoire à ses gosses.

Ce matin-là, où on a été graciés, et déportés, il s'en était passé de l'événement. De quoi ne pas mourir. En réalité, cet homme qui s'était dénoncé pour le transfo de la gare de Douai, il n'avait jamais été avec nous. Même avec personne des réseaux de Résistance. C'est sa femme qui l'a donné aux schleus. Elle n'était pas non plus de la Résistance, ni cocue, et normalement elle n'avait pas à nous sauver. L'affaire du transfo avait fait du bruit, les boches ont crié à la trahison, les gens ont eu peur, mais elle, non, au contraire, ça l'a décidée à ne pas laisser faire, pas dire amen à des assassins. Au moment où elle a su que les frisous avaient pris des otages, qu'ils allaient être fusillés, il se trouvait que son homme à elle, à peine un petit mois après leur mariage, était à l'agonie. Une question d'heures. Il n'avait même plus la force d'un bisou. Par le fait, elle s'est dit que sa dépouille mortelle, à son homme, pouvait encore servir à quelque chose. Et elle est allée le dénoncer comme saboteur à la Kommandantur !

Naturellement, les frisés ont commencé par rigoler : des belles femmes qui faisaient pousser des cornes à leur mari, ils en voyaient tous les jours, mais une qui voulait s'en débarrasser en le faisant exécuter pour terrorisme, ils demandaient à voir de près ! Tu parles qu'ils ont couru tout raconter à l'homme de cette femme, lui demander confirmation. Ils l'ont trouvé avec juste encore un petit fil de vie, même pas de quoi se maintenir jusqu'au soir. Donc ils ne comprenaient plus : elle n'avait qu'à attendre même pas une journée et elle était libre, cette femme ! Et pourtant lui, l'homme, sur son lit de mort, il a confirmé, il a dit que oui en regardant sa femme bien dans les yeux, oui il était le seul responsable du dynamitage du transformateur. Et qu'il payait pour son acte mais ne regrettait rien. Ça, ça les a mis en rogne, les schleus, ils l'ont tiré de chez lui, attaché à un poteau et fusillé quand même, avec ses pansements qui volaient sous les balles et l'immense plaie de son corps brûlé !

Voilà pourquoi les boches nous ont relâchés. La femme ils l'ont vraiment crue et l'homme aussi. Tu sais pourquoi ? Il travaillait à la compagnie d'électricité et il avait été brûlé dans l'explosion du transfo ! Mais brûlé à l'os... Et le plus beau de tout : c'est nous qui l'avions tué cet homme-là et c'est encore lui qui nous sauvait la vie ! On avait fait sauter le transfo de la gare sans savoir qu'il était dedans ! Il nous avait vus entrer dans le local, déguisés en électriciens et, bon, lui c'était un employé sérieux, un petit peu coincé, il n'avait surtout pas pensé au sabotage, il avait juste cru qu'on voulait voler le cuivre du transfo ! Seul contre deux, il n'a pas osé intervenir ; il a attendu qu'on sorte pour aller vérifier et alerter la compagnie si nécessaire. Et boum ! C'est des cheminots qui l'ont trouvé tout de suite, brûlé au dernier degré. Ils le connaissaient, ils ont cru qu'il avait trinqué pendant son propre sabotage et ils l'ont ramené en douce à sa femme, qu'il ne soit pas pris par les boches. Même, après la guerre, il y a eu des gens qui voulaient donner son nom à une rue, comme résistant et martyr. Sa femme a refusé. Tout net et sans dire la raison.

Sauf évidemment l'histoire du nom de la rue, tout ça on l'a su une fois évadés mais évidemment, fallait se mucher, vu qu'on était réfractaires au STO, ton père et moi, alors on est devenus mineurs, des gueules noires, pas reconnaissables, tout notre temps sur le carreau de la fosse ou dans des corons chez des résistants... Et puis les dynamitages, les sabotages... Ça fait, la veuve, on n'a pas eu le temps d'aller lui dire merci avant la fin de la guerre...

Un dimanche. Clair. Ton père il recommençait instituteur et moi électricien. Vivants. On s'était mis en trente et un, cravate et souliers cirés, des bouts de carton au fond à cause que les semelles étaient percées, mais ça ne se voyait pas, et chacun son bouquet à la main. Des roses du jardin de tes grands-parents. On a posé nos vélos contre sa façade et buqué à sa porte. Une petite maison, au début de la rue de Belin, à Douai.

Elle ouvre et on est là comme deux cons, à respirer fort et serrer les dents parce que si on parle on va braire comme des madeleines, et elle, elle prend un coin de son tablier, s'essuie les yeux et nous prend dans ses bras. Tu peux pas savoir... On est restés avec elle tout l'après-midi, on lui a coupé du bois et on a bu de la bière qu'elle faisait elle-même. Et on a parlé, parlé... Au soir on en était tous les deux amoureux finis...

Elle s'appelait Nicole. Encore maintenant d'ailleurs. Sinon qu'aujourd'hui elle est mariée avec moi...

Et voilà. Gaston a fini le fin fond éventé de sa bière tiède et tout a été dit. Il avait son sourire à la Laurel, plissait l'œil de m'avoir roulé dans la farine en dévoilant le plus tard possible le plus beau de l'histoire, le rôle de Nicole, et il goûtait l'alangui du dimanche finissant. Au bout du comptoir, Nicole était revenue, son cornet de frites mangé depuis longtemps. Elle regardait mon père et Gaston et ils la regardaient, et les mots entre eux c'était pas la peine. Ma mère avait sa tête de quand elle a mal aux pieds et ma sœur son air de maguette. Moi je regardais le nom en haut de l'affiche du *Pont*, le film que nous venions de voir : « un film de Bernhard Wicki ». Le gardien des otages. Le clown-soldat.

Avec sa perruque carotte, mon père a donc vécu chapeau bas. Dans les deux sens de l'expression puisqu'il n'a jamais porté de couvre-chef. Et la Dame Noire l'a pris un jour de frimas, peut-être par erreur, parce qu'il arborait, pour m'attendre à Lille dans une gare à courants d'air, une casquette neuve. Moi-même, à la descente du train, apercevant ce corps à demi caché par les secours d'urgence qui tentaient un massage cardiaque, je n'ai pas pensé qu'il pût s'agir de lui. Pas avec cette casquette renversée à son côté,

Demain, ce sont les heures ultimes du procès d'un type honorable, à en croire certains emmédaillés, bien qu'il ait commis, çà et là, sous une autorité autoproclamée « gouvernement de l'État français », durant les balbutiements d'une carrière qui commençait au secrétariat de la préfecture de Bordeaux et deviendrait celle d'un grand commis de l'État, quelques crimes, mais si fugaces à dire le vrai, si involontaires et si tôt regrettés ! Mais tout de même des crimes contre l'humanité… Parce que Vichy a eu lieu, parce que les parenthèses n'existent pas dans l'Histoire, que l'humanité profonde, la dignité, la conformité au bien moral échappent au droit, à la légalité ! Il me semble ainsi que ce train m'emporte au procès d'un ogre et d'un monstre. Et qu'il est de mon devoir de t'y représenter, papa, ainsi que Gaston, Nicole, Bernd et les autres, ces ombres douloureuses, d'où qu'elles soient, parce que cet homme-là, qui tente de faire de son procès une mascarade, qui joue les pitoyables pitres, aucun des ennemis d'alors ne fut pire et beaucoup d'entre eux l'auraient haï de trahir toute dignité.

Alors on va voir si la dignité d'un prétoire qui a laissé un tel bourreau jouir d'encore des miettes de liberté, comme s'il avait en capitalisation indivise tout le temps, toute l'éternité volée à ceux qu'il déporta, on va voir si cette dignité splendide d'hermine et de pourpre s'accorde du sens du macabre et de l'humour. Le nom de l'accusé ? Je me souviens, à peine, d'un écho brutal, comme d'une gifle méprisante, et, et même cela je veux l'avoir oublié demain, pour ne garder en mémoire que ceux des êtres qu'il déporta de la vie.

J'aurai demain aux yeux de grands cernes soulignés de noir, aux joues un plâtras de faux macchabée. J'essaierai, papa, d'être tous ceux-là dont les rires ont fini dans des forêts de hêtres, des taillis de bouleaux, là-bas, vers l'aube, et que tu tentas de ressusciter. Je tâcherai

DU MÊME AUTEUR

Aux Éditions Joëlle Losfeld/Gallimard

SANCTUS, 1990

CAKE-WALK, 1993, 2001

LUNDI PERDU, 1997, 2004

AIMER À PEINE, 2002

EFFROYABLES JARDINS, 2000, 2003 (Folio n° 3982)

ET MON MAL EST DÉLICIEUX, 2003 (Folio n° 4266)

L'ESPOIR D'AIMER EN CHEMIN, 2006 (Folio n° 5917)

UNE OMBRE, SANS DOUTE, 2008 (Folio n° 4975)

AVEC DES MAINS CRUELLES, 2010 (Folio n° 5394)

Quelques titres chez d'autres éditeurs

CADAVRE AU PETIT MATIN, *Éditions Syros*, 1989

LES GRANDS DUCS, *Calmann-Lévy*, 1991, 2001

BILLARDS À L'ÉTAGE, *Rivages Noir*, 1991, 2001

LE BÉLIER NOIR, *Rivages Noir*, 1992

LA BELLE OMBRE, *Rivages Noir*, 1995

L'ÉTERNITÉ SANS FAUTE, *Rivages Noir*, 2000

À L'ENCRE ROUGE, *Rivages Noir*, 2002

LA DÉDICACE, *Le Verger*, 2002

CORPS DE BALLET, *Estuaire*, 2006

LES COULEURS DU NORD-PAS-DE-CALAIS, « North End Blues », photographies Sam Bellet, *Du Quesne Éditeur*, 2007

SUR LES PAS DE JACQUES BREL, *Presses de la Renaissance*, 2008

MAX, *Perrin*, 2008

SUR LES TROIS HEURES APRÈS DÎNER, *Gallimard Jeunesse*, 2009

LES JOYEUSES, *Stock*, 2009 (Folio n° 5153)

LA FOLIE VERDIER, *Les Éditions du Moteur*, 2011

MA RÉVÉRENCE, *La Fontaine*, 2011

LES AMANTS DE FRANCFORT, *Éditions Héloïse d'Ormesson*, 2012

LE COMÉDIEN MALGRÉ LUI, *Flammarion*, 2012

CLOSE-UP, *La Branche*, 2012

MADEMOISELLE LIBERTÉ, UNE LECTURE D'EUGÈNE DELACROIX, LA LIBERTÉ GUIDANT LE PEUPLE (1830), Paris, Musée du Louvre, 2012

EN DÉPIT DES ÉTOILES, *Éditions Héloïse d'Ormesson*, 2013

VEUVE NOIRE, *L'Archipel*, 2013

J'EXISTE À PEINE, *Éditions Héloïse d'Ormesson*, 2014

BREL : L'INACCESSIBLE RÊVE, *Hoëbeke*, 2014

FOX-TROT, *Éditions Héloïse d'Ormesson*, 2015

HÔTEL DES DEUX ROSE, *Fleuve noir*, 2015

MAUVAISE CONSCIENCE, *Fleuve noir*, 2015

LE TESTAMENT INAVOUABLE, *Fleuve noir*, 2015

MASCARADES, *Fleuve noir*, 2015

POSTHUME, *Fleuve noir*, 2016

APAISE LE TEMPS, *Phébus*, 2016

JADIS, *Fleuve noir*, 2016

COLLECTION FOLIO

Dernières parutions

6384. Stephanie Blake	*Comment sauver son couple en 10 leçons (ou pas)*
6385. Tahar Ben Jelloun	*Le mariage de plaisir*
6386. Didier Blonde	*Leïlah Mahi 1932*
6387. Velibor Čolić	*Manuel d'exil. Comment réussir son exil en trente-cinq leçons*
6388. David Cronenberg	*Consumés*
6389. Éric Fottorino	*Trois jours avec Norman Jail*
6390. René Frégni	*Je me souviens de tous vos rêves*
6391. Jens Christian Grøndahl	*Les Portes de Fer*
6392. Philippe Le Guillou	*Géographies de la mémoire*
6393. Joydeep Roy-Bhattacharya	*Une Antigone à Kandahar*
6394. Jean-Noël Schifano	*Le corps de Naples. Nouvelles chroniques napolitaines*
6395. Truman Capote	*New York, Haïti, Tanger et autres lieux*
6396. Jim Harrison	*La fille du fermier*
6397. J.-K. Huysmans	*La Cathédrale*
6398. Simone de Beauvoir	*Idéalisme moral et réalisme politique*
6399. Paul Baldenberger	*À la place du mort*
6400. Yves Bonnefoy	*L'écharpe rouge* suivi de *Deux scènes et notes conjointes*
6401. Catherine Cusset	*L'autre qu'on adorait*
6402. Elena Ferrante	*Celle qui fuit et celle qui reste. L'amie prodigieuse III*
6403. David Foenkinos	*Le mystère Henri Pick*
6404. Philippe Forest	*Crue*
6405. Jack London	*Croc-Blanc*

6406. Luc Lang	*Au commencement du septième jour*
6407. Luc Lang	*L'autoroute*
6408. Jean Rolin	*Savannah*
6409. Robert Seethaler	*Une vie entière*
6410. François Sureau	*Le chemin des morts*
6411. Emmanuel Villin	*Sporting Club*
6412. Léon-Paul Fargue	*Mon quartier et autres lieux parisiens*
6413. Washington Irving	*La Légende de Sleepy Hollow*
6414. Henry James	*Le Motif dans le tapis*
6415. Marivaux	*Arlequin poli par l'amour et autres pièces en un acte*
6417. Vivant Denon	*Point de lendemain*
6418. Stefan Zweig	*Brûlant secret*
6419. Honoré de Balzac	*La Femme abandonnée*
6420. Jules Barbey d'Aurevilly	*Le Rideau cramoisi*
6421. Charles Baudelaire	*La Fanfarlo*
6422. Pierre Loti	*Les Désenchantées*
6423. Stendhal	*Mina de Vanghel*
6424. Virginia Woolf	*Rêves de femmes. Six nouvelles*
6425. Charles Dickens	*Bleak House*
6426. Julian Barnes	*Le fracas du temps*
6427. Tonino Benacquista	*Romanesque*
6428. Pierre Bergounioux	*La Toussaint*
6429. Alain Blottière	*Comment Baptiste est mort*
6430. Guy Boley	*Fils du feu*
6431. Italo Calvino	*Pourquoi lire les classiques*
6432. Françoise Frenkel	*Rien où poser sa tête*
6433. François Garde	*L'effroi*
6434. Franz-Olivier Giesbert	*L'arracheuse de dents*
6435. Scholastique Mukasonga	*Cœur tambour*
6436. Herta Müller	*Dépressions*
6437. Alexandre Postel	*Les deux pigeons*
6438. Patti Smith	*M Train*
6439. Marcel Proust	*Un amour de Swann*

6440. Stefan Zweig — *Lettre d'une inconnue*
6441. Montaigne — *De la vanité*
6442. Marie de Gournay — *Égalité des hommes et des femmes* et autres textes
6443. Lal Ded — *Dans le mortier de l'amour j'ai enseveli mon cœur...*
6444. Balzac — *N'ayez pas d'amitié pour moi, j'en veux trop*
6445. Jean-Marc Ceci — *Monsieur Origami*
6446. Christelle Dabos — *La Passe-miroir, Livre II. Les disparus du Clairdelune*
6447. Didier Daeninckx — *Missak*
6448. Annie Ernaux — *Mémoire de fille*
6449. Annie Ernaux — *Le vrai lieu*
6450. Carole Fives — *Une femme au téléphone*
6451. Henri Godard — *Céline*
6452. Lenka Horňáková-Civade — *Giboulées de soleil*
6453. Marianne Jaeglé — *Vincent qu'on assassine*
6454. Sylvain Prudhomme — *Légende*
6455. Pascale Robert-Diard — *La Déposition*
6456. Bernhard Schlink — *La femme sur l'escalier*
6457. Philippe Sollers — *Mouvement*
6458. Karine Tuil — *L'insouciance*
6459. Simone de Beauvoir — *L'âge de discrétion*
6460. Charles Dickens — *À lire au crépuscule et autres histoires de fantômes*
6461. Antoine Bello — *Ada*
6462. Caterina Bonvicini — *Le pays que j'aime*
6463. Stefan Brijs — *Courrier des tranchées*
6464. Tracy Chevalier — *À l'orée du verger*
6465. Jean-Baptiste Del Amo — *Règne animal*
6466. Benoît Duteurtre — *Livre pour adultes*
6467. Claire Gallois — *Et si tu n'existais pas*
6468. Martha Gellhorn — *Mes saisons en enfer*
6469. Cédric Gras — *Anthracite*
6470. Rebecca Lighieri — *Les garçons de l'été*

6471. Marie NDiaye *La Cheffe, roman d'une cuisinière*
6472. Jaroslav Hašek *Les aventures du brave soldat Švejk*
6473. Morten A. Strøksnes *L'art de pêcher un requin géant à bord d'un canot pneumatique*
6474. Aristote *Est-ce tout naturellement qu'on devient heureux ?*
6475. Jonathan Swift *Résolutions pour quand je vieillirai et autres pensées sur divers sujets*
6476. Yājñavalkya *Âme et corps*
6477. Anonyme *Livre de la Sagesse*
6478. Maurice Blanchot *Mai 68, révolution par l'idée*
6479. Collectif *Commémorer Mai 68 ?*
6480. Bruno Le Maire *À nos enfants*
6481. Nathacha Appanah *Tropique de la violence*
6482. Erri De Luca *Le plus et le moins*
6483. Laurent Demoulin *Robinson*
6484. Jean-Paul Didierlaurent *Macadam*
6485. Witold Gombrowicz *Kronos*
6486. Jonathan Coe *Numéro 11*
6487. Ernest Hemingway *Le vieil homme et la mer*
6488. Joseph Kessel *Première Guerre mondiale*
6489. Gilles Leroy *Dans les westerns*
6490. Arto Paasilinna *Le dentier du maréchal, madame Volotinen et autres curiosités*
6491. Marie Sizun *La gouvernante suédoise*
6492. Leïla Slimani *Chanson douce*
6493. Jean-Jacques Rousseau *Lettres sur la botanique*
6494. Giovanni Verga *La Louve et autres récits de Sicile*
6495. Raymond Chandler *Déniche la fille*
6496. Jack London *Une femme de cran* et autres nouvelles
6497. Vassilis Alexakis *La clarinette*

6498. Christian Bobin	*Noireclaire*
6499. Jessie Burton	*Les filles au lion*
6500. John Green	*La face cachée de Margo*
6501. Douglas Coupland	*Toutes les familles sont psychotiques*
6502. Elitza Gueorguieva	*Les cosmonautes ne font que passer*
6503. Susan Minot	*Trente filles*
6504. Pierre-Etienne Musson	*Un si joli mois d'août*
6505. Amos Oz	*Judas*
6506. Jean-François Roseau	*La chute d'Icare*
6507. Jean-Marie Rouart	*Une jeunesse perdue*
6508. Nina Yargekov	*Double nationalité*
6509. Fawzia Zouari	*Le corps de ma mère*
6510. Virginia Woolf	*Orlando*
6511. François Bégaudeau	*Molécules*
6512. Élisa Shua Dusapin	*Hiver à Sokcho*
6513. Hubert Haddad	*Corps désirable*
6514. Nathan Hill	*Les fantômes du vieux pays*
6515. Marcus Malte	*Le garçon*
6516. Yasmina Reza	*Babylone*
6517. Jón Kalman Stefánsson	*À la mesure de l'univers*
6518. Fabienne Thomas	*L'enfant roman*
6519. Aurélien Bellanger	*Le Grand Paris*
6520. Raphaël Haroche	*Retourner à la mer*
6521. Angela Huth	*La vie rêvée de Virginia Fly*
6522. Marco Magini	*Comme si j'étais seul*
6523. Akira Mizubayashi	*Un amour de Mille-Ans*
6524. Valérie Mréjen	*Troisième Personne*
6525. Pascal Quignard	*Les Larmes*
6526. Jean-Christophe Rufin	*Le tour du monde du roi Zibeline*
6527. Zeruya Shalev	*Douleur*
6528. Michel Déon	*Un citron de Limone* suivi d'*Oublie...*
6529. Pierre Raufast	*La baleine thébaïde*
6530. François Garde	*Petit éloge de l'outre-mer*
6531. Didier Pourquery	*Petit éloge du jazz*

6532. Patti Smith — *« Rien que des gamins ». Extraits de Just Kids*
6533. Anthony Trollope — *Le Directeur*
6534. Laura Alcoba — *La danse de l'araignée*
6535. Pierric Bailly — *L'homme des bois*
6536. Michel Canesi et Jamil Rahmani — *Alger sans Mozart*
6537. Philippe Djian — *Marlène*
6538. Nicolas Fargues et Iegor Gran — *Écrire à l'élastique*
6539. Stéphanie Kalfon — *Les parapluies d'Erik Satie*
6540. Vénus Khoury-Ghata — *L'adieu à la femme rouge*
6541. Philippe Labro — *Ma mère, cette inconnue*
6542. Hisham Matar — *La terre qui les sépare*
6543. Ludovic Roubaudi — *Camille et Merveille*
6544. Elena Ferrante — *L'amie prodigieuse (série tv)*
6545. Philippe Sollers — *Beauté*
6546. Barack Obama — *Discours choisis*
6547. René Descartes — *Correspondance avec Élisabeth de Bohême et Christine de Suède*
6548. Dante — *Je cherchais ma consolation sur la terre...*
6549. Olympe de Gouges — *Lettre au peuple et autres textes*
6550. Saint François de Sales — *De la modestie et autres entretiens spirituels*
6551. Tchouang-tseu — *Joie suprême et autres textes*
6552. Sawako Ariyoshi — *Les dames de Kimoto*
6553. Salim Bachi — *Dieu, Allah, moi et les autres*
6554. Italo Calvino — *La route de San Giovanni*
6555. Italo Calvino — *Leçons américaines*
6556. Denis Diderot — *Histoire de Mme de La Pommeraye* précédé de l'essai *Sur les femmes.*
6557. Amandine Dhée — *La femme brouillon*
6558. Pierre Jourde — *Winter is coming*
6559. Philippe Le Guillou — *Novembre*

6560. François Mitterrand — *Lettres à Anne. 1962-1995. Choix*
6561. Pénélope Bagieu — *Culottées Livre I – Partie 1. Des femmes qui ne font que ce qu'elles veulent*
6562. Pénélope Bagieu — *Culottées Livre I – Partie 2. Des femmes qui ne font que ce qu'elles veulent*
6563. Jean Giono — *Refus d'obéissance*
6564. Ivan Tourguéniev — *Les Eaux tranquilles*
6565. Victor Hugo — *William Shakespeare*
6566. Collectif — *Déclaration universelle des droits de l'homme*
6567. Collectif — *Bonne année ! 10 réveillons littéraires*
6568. Pierre Adrian — *Des âmes simples*
6569. Muriel Barbery — *La vie des elfes*
6570. Camille Laurens — *La petite danseuse de quatorze ans*
6571. Erri De Luca — *La nature exposée*
6572. Elena Ferrante — *L'enfant perdue. L'amie prodigieuse IV*
6573. René Frégni — *Les vivants au prix des morts*
6574. Karl Ove Knausgaard — *Aux confins du monde. Mon combat IV*
6575. Nina Leger — *Mise en pièces*
6576. Christophe Ono-dit-Biot — *Croire au merveilleux*
6577. Graham Swift — *Le dimanche des mères*
6578. Sophie Van der Linden — *De terre et de mer*
6579. Honoré de Balzac — *La Vendetta*
6580. Antoine Bello — *Manikin 100*
6581. Ian McEwan — *Mon roman pourpre aux pages parfumées* et autres nouvelles
6582. Irène Némirovsky — *Film parlé*
6583. Jean-Baptiste Andrea — *Ma reine*
6584. Mikhaïl Boulgakov — *Le Maître et Marguerite*
6585. Georges Bernanos — *Sous le soleil de Satan*

6586.	Stefan Zweig	*Nouvelle du jeu d'échecs*
6587.	Fédor Dostoïevski	*Le Joueur*
6588.	Alexandre Pouchkine	*La Dame de pique*
6589.	Edgar Allan Poe	*Le Joueur d'échecs de Maelzel*
6590.	Jules Barbey d'Aurevilly	*Le Dessous de cartes d'une partie de whist*
6592.	Antoine Bello	*L'homme qui s'envola*
6593.	François-Henri Désérable	*Un certain M. Piekielny*
6594.	Dario Franceschini	*Ailleurs*
6595.	Pascal Quignard	*Dans ce jardin qu'on aimait*
6596.	Meir Shalev	*Un fusil, une vache, un arbre et une femme*
6597.	Sylvain Tesson	*Sur les chemins noirs*
6598.	Frédéric Verger	*Les rêveuses*
6599.	John Edgar Wideman	*Écrire pour sauver une vie. Le dossier Louis Till*
6600.	John Edgar Wideman	*La trilogie de Homewood*
6601.	Yannick Haenel	*Tiens ferme ta couronne*
6602.	Aristophane	*L'Assemblée des femmes*
6603.	Denis Diderot	*Regrets sur ma vieille robe de chambre*
6604.	Edgar Allan Poe	*Eureka*
6605.	François de La Mothe Le Vayer	*De la liberté et de la servitude*
6606.	Salvatore Basile	*Petits miracles au bureau des objets trouvés*
6607.	Fabrice Caro	*Figurec*
6608.	Olivier Chantraine	*Un élément perturbateur*
6610.	Roy Jacobsen	*Les invisibles*
6611.	Ian McEwan	*Dans une coque de noix*
6612.	Claire Messud	*La fille qui brûle*
6613.	Jean d'Ormesson	*Je dirai malgré tout que cette vie fut belle*
6614.	Orhan Pamuk	*Cette chose étrange en moi*
6615.	Philippe Sollers	*Centre*
6616.	Honoré de Balzac	*Gobseck* et autres récits d'argent

6618. Chimamanda Ngozi Adichie — *Le tremblement* précédé de *Lundi de la semaine dernière*

6619. Elsa Triolet — *Le destin personnel* suivi de *La belle épicière*

6620. Brillat-Savarin — *Dis-moi ce que tu manges, je te dirai ce que tu es*

6621. Lucrèce — *L'esprit et l'âme se tiennent étroitement unis. De la nature, Livre III*

6622. La mère du révérend Jôjin — *Un malheur absolu*

6623. Ron Rash — *Un pied au paradis*

6624. David Fauquemberg — *Bluff*

6625. Cédric Gras — *La mer des Cosmonautes*

6626. Paolo Rumiz — *Le phare, voyage immobile*

6627. Sebastian Barry — *Des jours sans fin*

6628. Olivier Bourdeaut — *Pactum salis*

6629. Collectif — *À la table des diplomates. L'histoire de France racontée à travers ses grands repas. 1520-2015*

6630. Anna Hope — *La salle de bal*

6631. Violaine Huisman — *Fugitive parce que reine*

6632. Paulette Jiles — *Des nouvelles du monde*

6633. Sayaka Murata — *La fille de la supérette*

6634. Hannah Tinti — *Les douze balles dans la peau de Samuel Hawley*

6635. Marc Dugain — *Ils vont tuer Robert Kennedy*

6636. Collectif — *Voyageurs de la Renaissance. Léon l'Africain, Christophe Colomb, Jean de Léry et les autres*

6637. François-René de Chateaubriand — *Voyage en Amérique*

6638. Christelle Dabos — *La Passe-miroir, Livre III. La mémoire de Babel*

6639. Jean-Paul Didierlaurent	*La fissure*
6640. David Foenkinos	*Vers la beauté*
6641. Christophe Honoré	*Ton père*
6642. Alexis Jenni	*La conquête des îles de la Terre Ferme*
6643. Philippe Krhajac	*Un dieu dans la poitrine*
6644. Eka Kurniawan	*Les belles de Halimunda*
6645. Marie-Hélène Lafon	*Nos vies*
6646. Philip Roth	*Pourquoi écrire ? Du côté de Portnoy – Parlons travail – Explications*
6647. Martin Winckler	*Les Histoires de Franz*
6648. Julie Wolkenstein	*Les vacances*
6649. Naomi Wood	*Mrs Hemingway*
6650. Collectif	*Tous végétariens ! D'Ovide à Ginsberg, petit précis de littérature végétarienne*
6651. Hans Fallada	*Voyous, truands et autres voleurs*
6652. Marina Tsvétaïéva	*La tempête de neige – Une aventure*
6653. Émile Zola	*Le Paradis des chats*
6654. Antoine Hamilton	*Mémoires du comte de Gramont*
6655. Joël Baqué	*La fonte des glaces*
6656. Paul-Henry Bizon	*La louve*
6657. Geneviève Damas	*Patricia*
6658. Marie Darrieussecq	*Notre vie dans les forêts*
6659. Étienne de Montety	*L'amant noir*
6660. Franz-Olivier Giesbert	*Belle d'amour*
6661. Jens Christian Grøndahl	*Quelle n'est pas ma joie*
6662. Thomas Gunzig	*La vie sauvage*
6663. Fabrice Humbert	*Comment vivre en héros ?*
6664. Angela Huth	*Valse-hésitation*
6665. Claudio Magris	*Classé sans suite*

6666. János Székely — *L'enfant du Danube*
6667. Mario Vargas Llosa — *Aux Cinq Rues, Lima*
6668. Alexandre Dumas — *Les Quarante-Cinq*
6669. Jean-Philippe Blondel — *La mise à nu*
6670. Ryôkan — *Ô pruniers en fleur*
6671. Philippe Djian — *À l'aube*
6672. Régis Jauffret — *Microfictions II. 2018*
6673. Maylis de Kerangal — *Un chemin de tables*
6674. Ludmila Oulitskaïa — *L'échelle de Jacob*
6675. Marc Pautrel — *La vie princière*
6676. Jean-Christophe Rufin — *Le suspendu de Conakry. Les énigmes d'Aurel le Consul*
6677. Isabelle Sorente — *180 jours*
6678. Victor Hugo — *Les Contemplations*
6679. Michel de Montaigne — *Des Cannibales / Des coches*
6680. Christian Bobin — *Un bruit de balançoire*
6681. Élisabeth de Fontenay et Alain Finkielkraut — *En terrain miné*
6682. Philippe Forest — *L'oubli*
6683. Nicola Lagioia — *La Féroce*
6684. Javier Marías — *Si rude soit le début*
6685. Javier Marías — *Mauvaise nature.* Nouvelles complètes
6686. Patrick Modiano — *Souvenirs dormants*
6687. Arto Paasilinna — *Un éléphant, ça danse énormément*
6688. Guillaume Poix — *Les fils conducteurs*
6689. Éric Reinhardt — *La chambre des époux*
6690. Éric Reinhardt — *Cendrillon*
6691. Jean-Marie Rouart — *La vérité sur la comtesse Berdaiev*
6692. Jón Kalman Stefánsson — *Ásta*
6693. Corinne Atlan — *Petit éloge des brumes*
6694. Ludmila Oulitskaïa — *La soupe d'orge perlé* et autres nouvelles

6695. Stefan Zweig — *Les Deux Sœurs* précédé d'*Une histoire au crépuscule*
6696. Ésope — *Fables* précédées de la *Vie d'Ésope*
6697. Jack London — *L'Appel de la forêt*
6698. Pierre Assouline — *Retour à Séfarad*
6699. Nathalie Azoulai — *Les spectateurs*
6700. Arno Bertina — *Des châteaux qui brûlent*
6701. Pierre Bordage — *Tout sur le zéro*
6702. Catherine Cusset — *Vie de David Hockney*
6703. Dave Eggers — *Une œuvre déchirante d'un génie renversant*
6704. Nicolas Fargues — *Je ne suis pas une héroïne*
6705. Timothée de Fombelle — *Neverland*
6706. Jérôme Garcin — *Le syndrome de Garcin*
6707. Jonathan Littell — *Les récits de Fata Morgana*
6708. Jonathan Littell — *Une vieille histoire.* Nouvelle version
6709. Herta Müller — *Le renard était déjà le chasseur*
6710. Arundhati Roy — *Le Ministère du Bonheur Suprême*
6711. Baltasar Gracian — *L'Art de vivre avec élégance. Cent maximes de L'Homme de cour*
6712. James Baldwin — *L'homme qui meurt*
6713. Pierre Bergounioux — *Le premier mot*
6714. Tahar Ben Jelloun — *La punition*
6715. John Dos Passos — *Le 42e parallèle. U.S.A. I*
6716. John Dos Passos — *1919. U.S.A. II*
6717. John Dos Passos — *La grosse galette. U.S.A. III*
6718. Bruno Fuligni — *Dans les archives inédites du ministère de l'Intérieur. Un siècle de secrets d'État (1870-1945)*
6719. André Gide — *Correspondance. 1888-1951*
6720. Philippe Le Guillou — *La route de la mer*

6721. Philippe Le Guillou	*Le roi dort*
6722. Jean-Noël Pancrazi	*Je voulais leur dire mon amour*
6723. Maria Pourchet	*Champion*
6724. Jean Rolin	*Le traquet kurde*
6725. Pénélope Bagieu	*Culottées Livre II-partie 1*
6726. Pénélope Bagieu	*Culottées Livre II-partie 2*
6727. Marcel Proust	*Vacances de Pâques* et autres chroniques
6728. Jane Austen	*Amour et amitié*
6729. Collectif	*Scènes de lecture. De saint Augustin à Proust*
6730. Christophe Boltanski	*Le guetteur*
6731. Albert Camus et Maria Casarès	*Correspondance. 1944-1959*
6732. Albert Camus et Louis Guilloux	*Correspondance. 1945-1959*
6733. Ousmane Diarra	*La route des clameurs*
6734. Eugène Ébodé	*La transmission*
6735. Éric Fottorino	*Dix-sept ans*
6736. Hélène Gestern	*Un vertige* suivi de *La séparation*
6737. Jean Hatzfeld	*Deux mètres dix*
6738. Philippe Lançon	*Le lambeau*
6739. Zadie Smith	*Swing Time*
6740. Serge Toubiana	*Les bouées jaunes*
6741. C. E. Morgan	*Le sport des rois*
6742. Marguerite Yourcenar	*Les Songes et les Sorts*
6743. Les sœurs Brontë	*Autolouange* et autres poèmes
6744. F. Scott Fitzgerald	*Le diamant gros comme le Ritz*
6745. Nicolas Gogol	*2 nouvelles de Pétersbourg*
6746. Eugène Dabit	*Fauteuils réservés* et autres contes
6747. Jules Verne	*Cinq semaines en ballon*
6748. Henry James	*La Princesse Casamassima*
6749. Claire Castillon	*Ma grande*

Composition Nord Compo
Impression Novoprint
à Barcelone, le 18 octobre 2020
Dépôt légal : octobre 2020
1er dépôt légal dans la collection : janvier 2004

ISBN 978-2-07-031349-5 / Imprimé en Espagne

374045